글 · 그림 도삭

시즌2 SYMPATHY 3

비 많이 온다···.
여름도 다 끝났네.

이제
정신 차리면
졸업일걸?

작품은
잘 돼가냐?

응.
나쁘지 않아.

솔지는 벌써
마무리하고
피드백 중이고.

4

와…
진짜 빠르네.

역시
학원 강사…

그러니까.

우리 이번에
셋이 딱 맞춰서
졸업하겠다.

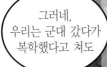

그러네.
우리는 군대 갔다가
복학했다고 쳐도

백솔지도
같이 졸업하는 건
신기하다….

바빠서 자주
휴학했잖아.

벌써 외주도 받고
입시반 업무 조교까지
근무하는 거 보면 진짜
대단한 것 같아….

……?

야… 너도 대단해.
모델 스케줄이랑
졸작을 어떻게
병행하냐?

가끔 쇼핑몰에서
네 사진 보면
깜짝깜짝 놀란다니까,
진짜로.

5

??

왜 그래?

…아까부터
네 뒤 테이블이랑
계속 눈 마주쳐.

엥?
내 뒤…?

저기요….

YKchoi_pf

YKchoi_pf 첫 시즌 촬영 @MStyle @leehyunmo

7

얘가 오빠 팬이거든요.

인별도 팔로우하고 있어요. 남친 옷 알아보다가 알게 됐다나.

팬이라고?

아… 그러셨구나.

야! 선배님이라고 해야지…!

죄송합니다아…. 그, 그러니까….

같이 사진을… 찍고 싶은데… 안 될까요?

사진이요?

저랑 사진을 찍으신다고요…?

네… 저 진짜 팬이라서….

고, 곤란하시면 안 찍어도 전 괜찮아요….

9

캬, 인기 봐라...
말 꺼내기 무섭게
팬도 생겼네?

오빠라잖아,
오빠!

연예인갈다~

응?
본가 가면 맨날
듣는데, 뭐.

아...
너 여동생
있댔지.

그래도
팬이라는데
기분은 좋지
않았어?

...야, 약간?

신기해서.

쿠음..

우아악~!!
진짜
짜증난다~!
ㅋㅋㅋ

10

YKchoi.pf

12
게시물

2,003
팔로워

4
팔로잉

최이경
Mstyle Model . STAFF

어휴…

어?
형인가?

지이잉~

…?!

여보세요??

아, 아빠?

어, 이경아.

오랜만이다.
인마… 연락 좀
하고 살아라.

아하하…
엄마는 잘 지내죠?
아픈 덴 없고요?

갑자기
무슨 일이에요?

무슨 일이 있어야
연락하나?

요즘도 사진 찍어?
아, 이사는 잘 했고?

보시는 대로.

희…

잠깐….

혀, 형,
잠깐만요…!

간만에 하려니
턱 아프네.

우웃….

으으응….

언제 왔어요…?

하아..

하아..

얼마 안 됐어.

하아..

하아..

밖이 더워요? 비 오는 것 같은데….

왜 이렇게 뺨이 뜨겁….

술 마셨어요?!

어이쿠….

형 약 먹고
있잖아요!!

아무리
회식이어도…

아아…

자…

잠끼…

이경아…

나
넣고 싶어.

어, 어라…?

화났나? 진짜 화난 것 같은데…?

아니, 잠깐만. 형이 왜?!

내가 더 화 났는데?!

몸도 안 좋으면서 약속도 안 지키고.

오늘은 진짜 제대로 말해야겠어.

형. 일을 줄일 게 아니면 제발 몸 생각 좀─

질투.

이거 질투다.

형이 술 먹고 질투….

오늘은 진짜 화내려고 했는데…

윽. 안 돼… 웃을 것 같아…!

나 게이 안 할래.

남들보다 두 배로 힘든데 라이벌도 두 배야.

아니, 네 얼굴 때문에 오천만 배.

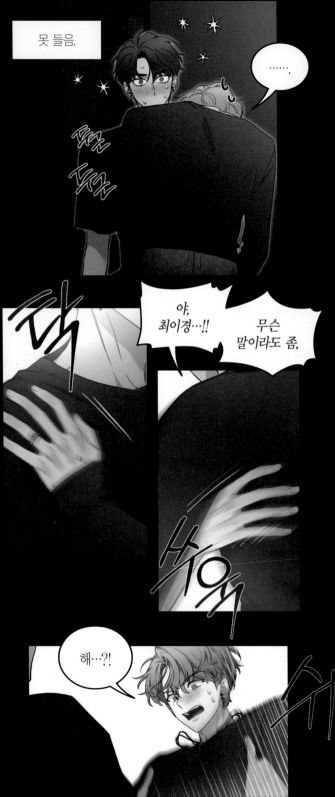

뎅○ ⸳⸳

그게
질투 나서

오자마자
자고 있는 사람
바지랑 속옷부터
벗긴 거구나.

씨익⸳⸳

와악⸳⸳

뭐… 뭐?

아니, 꼭
그렇다기보단,

아픈데
약도 안 먹고
심지어 술까지 먹고
들어온 사람을

밤새도록 기다린
제가 더 화나지
않았을까요?

그, 그건…

할 말
없지만…

…화난 사람
맞냐?

저 진짜
화났었는데.

형이 갑자기
반칙을
쓰잖아요.

불안하게 해서
미안해요~.

◀놀리는 중

이젠 동생
취급이야?

*낮은 목소리

놀라서 술 깸.

하아아…

진짜
화내기 전에 빨리
씻고 나와요…

응…
알겠어…

1절만
할걸…

그날 밤.

형이
빨리 낫게
해주세요…

이상한 뜻은
아니고…
아무튼 빨리요

며칠 뒤, 스튜디오.

웅성

웅성 °°

앗…

헉, 작가님?!
죄송합니다…!

괜찮으세요…?

괜찮습니다. 좀 주세요.
같이 옮기게.

무거워 보이는데

아뇨…! 금방
둘 거라서….

후우….

미팅 일정이
빼곡한 주간인 걸
깜빡했어.

어제도 일정 소화하고
밤 늦게 들어온 데다,
오늘 촬영 때문에
잠까지 설쳤더니

컨디션
역대급으로
최악이네.

눈
뜨거워…

최이경은
졸작 때문에
조금 이따가 온다고
했으니까,

조금만
기다려봐야지.

헉…

헉…

늦어서
미안해요.

안색이
안 좋은데…
괜찮겠어요?

어? 빨리 왔네?
길 안 막혔어?

내 사진은
몇 장 안 들어가서
상관없어.

사진이
문제가 아니라
…너무 뜨거운데,
몸이.

이 작가님.

촬영 가시죠.

지금
좋아요.

시선 약간 더
멀리 보고.

진짜
잘하네요…

어떻게 사람이
저렇게 생겼지?

천상 모델이네…

찌앙

서 있는 것도
힘들어 보여…

최이경.

깜짝

…!?

성긋

똑딱

어…?

여긴 웬일이야…?

잠깐 뒤로 와 봐.

똑딱

간만에 봤는데 반기는 척이라도 좀 해주라~.

이 작가님 부탁받고 왔어.

터벅

형 부탁…? 무슨 부탁?

터벅

작가님이 딜을 하셨더라고.

그래서 여름에 우리 Mstyle 촬영한 걸로

작게 인터뷰 넣으려나 봐.

뭐…? 갑자기 무슨,

인터뷰는 언젠데?

지금 가야 돼. 아니, 30분 남았나.

그냥 옆에 있는 카페에서 할 거래.

지금??

왜? 일정 있어?

그런데 작가님은 모르시잖아. 우리 저녁 먹은 날, 네가 무슨 애길 했는지는 말 안 했거든.

......

찌릿.

너 이런 얘기 남이 전달하는 거 싫어하니까.

잠깐 얘기 좀 하고 올게.

하암~

그랭~ 천천히 와.

으잭

터벅

......

...형.

어, 어?

잠시 할 얘기 있어요.

이경아.
네가 지금
무슨 얘기 꺼낼 지
알겠는데…

나 인터뷰
때문에 금방
들어가봐야 돼.

……

…?!

인터뷰.

갔다 와야 해요.
저도.

…….

미리 말해주지
그랬어요.

제가 형 말에
싫다고 할 리도
없는데….

인터뷰 그거
뭐가 어렵다고.

…변명이랄 게
극성 부모님 같은
고리타분한 소리
뿐이네.

미안해….
근데 그거 때문에
오라고 한 건
아니야!

알아요….

…….

아무 일
안 일어나겠죠?

뭐가?

저 갔다올 동안…
혼자 괜찮겠어요?

지난 번에 학교에서 그랬잖아요.

혼자는 힘들 것 같다고…

내가 필요하다고 해.

내가 없으면 안 된다고 해.

……

말해.

그 말만 해주면
나는···

피식

내가 애냐?

그냥
잠깐이잖아.
괜찮아.

참나··· 누가 보면
죽을 병이라도
걸린 줄 알겠네.

놀랐잖아, 인마.
괜찮아.

얼른
이 촬영 끝내고,
당분간 일 받지 말고
둘이 진득하게
붙어서

네가 그렇게
좋아하는 집 데이트
실컷 하자.

내가 지금
누구 때문에
그것만 보고 힘내고
있는데

왜 이렇게…
죽상이야….

저…, 진짜
할 말 많아요.

응.
다 해.

이것만 끝내고
실컷 해….

그니까, 나도 진짜 빨리 끝내버리고 싶으니까….

아, 흐읏…!

자꾸 그렇게 부엌에서 칼 들고 있는

여섯 살 애 보듯 보지 좀, 말라고….

훗…!

으응…!

칼을 다 치워버리던가 해야지….

일단 나는 삼십 대고.

그건 과보호, 야….

작가님!!

어디 계세요~!!

예!!
갑니다!

......

이경아!

...!

인터뷰
파이팅!

척

쓱

…휴우.

믿을 수
밖에….

최이경···.
인터뷰 잘 하고
있으려나.

저희 이제
인터뷰 딸게요!

이후에 영상 인터뷰로
올릴 것도 따야 해서
헤어 메이크업은
유지해주세요.

새앤.

작가님…
괜찮으세요?
아까부터
안색이…

아, 예.

괜찮아요.
인터뷰
바로 가죠.

네…
많이 안 좋으시면
바로 말해주세요.

휘
악

무리하지
마세요.

꽈
악

자아, 이제 작가님께 질문 드릴게요.

이 작가님은 이런 공개적인 인터뷰가 처음이시잖아요.

이제까지 인터뷰가 한 번도 안 들어오지는 않았을 텐데요.

그쵸. 많이 들어와왔었죠.

특별히 저희 V와의 만남은 승낙하신 이유가 있으신가요?

최근 패션 화보만 계속 작업 중이거든요.

인터뷰 데뷔가 V인 건 오히려 저에게 행운이죠.

저도 옛날에 막 현장 들어갈 때, V에서 일하는 선배님들 뒷모습만 보면서

군침 삼키고 그랬어요.

61

새앰.

진작 만났으면 좋았을 텐데 말이에요!

저희도 개인적으로도 가장 궁금한 작가님 이었거든요.

흐짜‥

흐읫챙‥

?!

비틀—

작가님…?!

죄,
죄송합니다.

아…
오늘 왜 이러지,
계속….

조잠…

흑

저,
이 작가님.

저희는
괜찮으니까
인터뷰 다음에
따져요.

…맞아요.

안 그래도
미팅 때부터 몸 상태
안 좋으신 거 알고
있었는데….

그래봤자 아무도 인정 안 해줄 거다.

죄송해요,
팀장님.

10분 정도
쉬었다가 다시 해도
괜찮을까요?

아, 네! 괜찮습니다.

휴식하고 다시 들어갈게요!

……

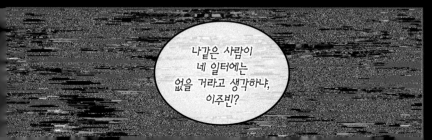

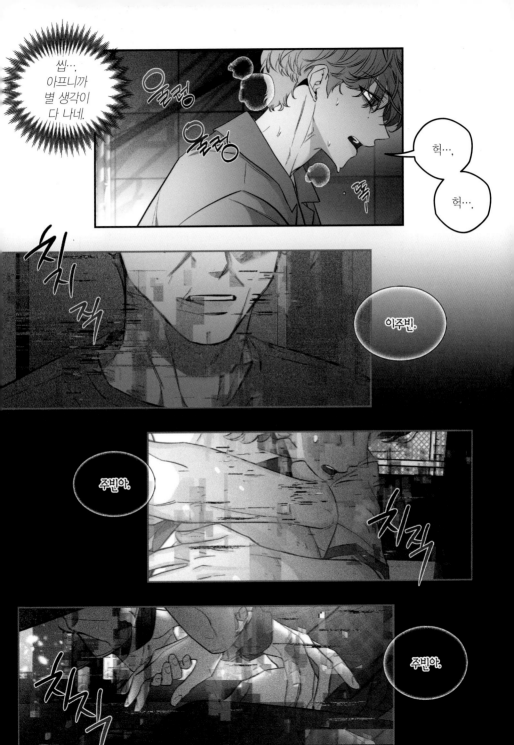

상관없어…
나랑은 이제
아무 상관없는
일이야…

아무 상관…
없는 일이라고…

이 대표!!

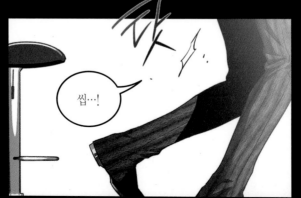

씹…!

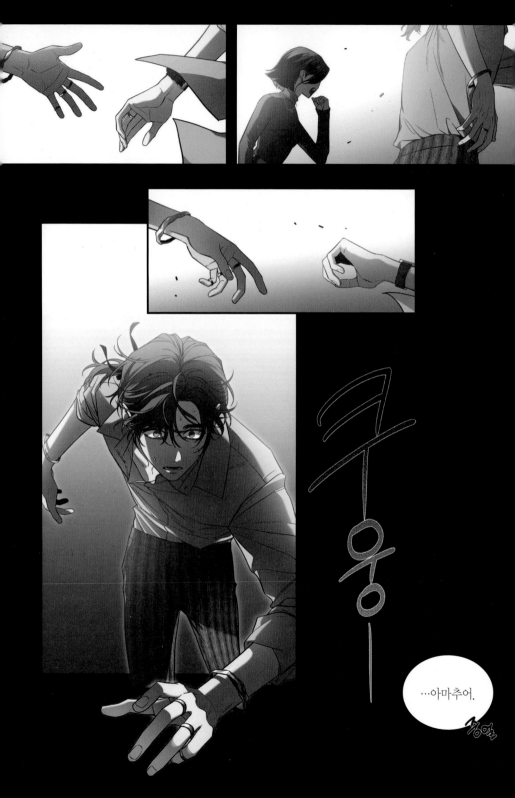

쿠웅

…아마추어.

아이고,
자꾸 오타가….

천천히
하세요!

응?
안 받아도 돼?

모르는 번호야.
스팸이겠지.

그으래….

삐반~

잠깐만.
잠깐 번호
줘 봐.

죄송합니다.
잠시만요!

넵…!

비켜.

진정해요.

어차피
지금 들어가봐야
쫓겨날걸요.

아직 원인을 몰라서
절대 안정이 필요하다는데
괜히 들어갔다가 환자
흥분시키지 말고요.

......

…빈정대는 거
아닙니다.

오해하실까 봐.

어떻게
된 거예요…?

....

인터뷰 도중에
갑자기
쓰러졌어요.

다행히
빈 박스 더미 위로
쓰러져서 크게
다치진 않았고.

의식은 있는 것
같은데 숨을 제대로
못 쉬고 계속
잠들려고 해서

스태프가
구급차
불렀습니다.

······저,

전에도 이런 적이 있었어요.

아~

쓰러진 적?

여름이었는데, 비가 다 들이닥치는 베란다에 쓰러져 있더라고요.

그때도 놀라긴 했지만 그래도 지금만큼 심각한 건 아니었는데···.

이번에는···

어디 크게 아픈 건 아닌가 싶어서···.

내 잘못이에요···. 내가···

내가 늦어서···.

중얼.

81

…아.

비흡연자.

데자뷰다….

그럼 이왕
자리 불편한
김에

불편한 얘기 좀
더 하고 싶은데.

…….

제가 먼저
물어봐도 돼요?

예?

뭐…,
그러세요.

……

형은 연애를 많이 해본 걸로 알고 있는데

왜 유독 그쪽한테 예민한 거예요?

형이 처음부터 그쪽이랑 만났던 얘기를 해준 건 아니었어요.

어쩌다가 그 주제가 나오려고 하면 의도적으로 피했거든요.

제 입장에서는… 계속 불안할 수 밖에 없었는데도

기다리는 것 말고는 할 수 있는 게 아무것도 없었어요.

과거 같은 건 신경 안 쓰는 줄 알았는데… 유독 신경 쓰더라고요. 괴롭고 질투 났어요.

…끝이 그닥
좋지 않았으니까
그랬던 거 아닐까요.
그건 나도
잘 모르겠네.

서로가
제일 오래 만났던
사람이거든요.

거기다…
작가님한테는
불리한 관계기도
했고.

뭐가
불리했는데요?

움찔,

본격
취조인가.

후우…

저는 살면서
제 목표 말고는

생각해본 적
없어요.

모델이 돼서
가장 크고 화려한
런웨이에 설 수 있다면

어떤 짓도
할 수 있었고

무엇이든
포기할 수 있었어요.
지금도 그렇고.

그렇게 계속 만나면서
저는 잘 되고,
작가님도 패션계에서
더 유명해졌죠.

둘 다 이런 관계가
오래 지속되길 원해서
암묵적으로
약속을 했어요.

끼익 얽..

써
저

저

연애만큼은
절대 하지 않기로.

…자, 잠깐.

연애를…,

제가 지금 이해한 게 맞아요?

사귄 적이 없다는 거예요···?

아무튼 간에 저는 크루 돌아가는 꼴 때문에 다 포기할 각오까지 하면서 들어간 건데

오히려 두 배를 얻은 거고. 작가님은··· 저를 만나면서 잃고 있던 거고.

작가님이랑 저는 딱히 사귀는 사이가 아니었는데요?

주변 사람들한테 '사실은 그런 파트너다', 라고 할 순 없으니까 연애라고 둘러댄 거지.

이제 생각해보면 그 사람은

애초부터 파트너가 필요한 사람이 아니었어요.

…그 땐 정말 도저히 버틸 수가 없을 것 같아서 무서워….

도백운은 형을 만나면서 필요했던 것들을 전부 채울 수 있었지만

사실 그때의 형은… 필요한 게 아니었어.

불리하다는 게 이거였구나.

전 당연히 전 애인이라고 생각했는데.

이제 와서 웃기는 소리지만, 어느 순간부터

저는 작가님이랑 안 된다는 걸 알고 있었던 것도 같네요.

…?

…? 그건 무슨 뜻인데요?

……．

싸
아

아니…
둘이 사귀는 거
아니에요?
동거도 한다며．

저 환자한테
제일 필요한 게
뭔지 몰라요?

왜 혼나는
기분이…?

애인? 섹스?
사람의 온기?

이딴 단순한 게
아니에요．

저기요．
난 저 사람이
길바닥에서 쓰러지든
어쩌든

눈 앞의 스케줄을
먼저 가야 하는
사람이라고요．

그런데
최이경 씨는，

91

여기로
왔잖아요.

이게 다
나 때문이라느니,
늦어서
그렇다느니.

그거
다 배부른
소리라고.

이 작가 초반에
고생 좀 했겠네.

이건 무슨
인수인계도
아니고.

…저는,

저희가 만나면
드라마처럼
치정극이라도
일어날 줄 알았는데.

풉….

…가자.

스윽

뒤리번

저, 혹시

이주빈 환자
어디에 있나요?

네.

호, 혹시 벌써
퇴원했나요…?

아,
보호자분
되세요?

아뇨. 옆 건물
병동 가셔서 카운터에
물어보시면 병실
알려주실 거예요.

상태 호전되셔서
같이 오셨던 남자분
통해서 개인 병실로
옮겨드렸어요.

……

…네.

감사합니다.

또벽

또벽!

같이 오셨던
남자분 통해서

개인 병실로
옮겨드렸어요.

도백운…:

97

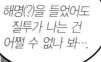

…뭐,
그래도
고맙다는
말은 해야겠지.
언젠간…

해명(?)을 들었어도
질투가 나는 건
어쩔 수 없나 봐…

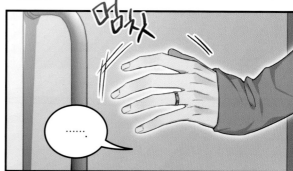

멈춧

……

끼익!

윽

……아.

…….

……

뭐 해.
이리 와.

멈뭇, ……. …괜찮아요?

어, 괜찮아.

검사도 끝났고. 그냥 이 수액만 맞고 퇴원하면 돼.

…형, 제가

전화받고 여기까지 오면서

얼마나….

훌쩍

그러게 제가
괜찮겠냐고…

물어봤잖아요…
형…

꽈악!

참나…

하하

안 그래도
형이 아파서
하루 종일 신경이
곤두서 있었는데

별일
아니었다니
다행이야.

긴장 풀려서
힘 빠진다…

츠압

울보.

또
울었대요.

…….

부끄…

넌
나 만나는 거
행복해?

이경아.

…네.

......?

…뭐?

그게 대체 무슨 질문인데?

행복하냐니? 당연하잖아…!!

지금 와서 이런 걸 물어보는 이유가 뭐지?

아… 하하,
갑자기요?

…그건,

그건 왜….

꽈악

난 행복해.

이기적일 정도로
나는 너무 행복해.

그래서 이렇게
사고칠 때마다
네 걱정을 할 수
밖에 없어.

이거 봐. 내가
네 앞에서 이러는
것만 몇 번째야,
지금.

나만
행복하면 뭐 해.
넌 안 괜찮은데.

쿵.

쿵.

너말고 다시
사랑하고 싶은
사람,

이제
영원히 없어.

제발…
알아들어.
부탁이야.

그땐 나 믿어줄래?

한눈팔지 말라고 으름장 놓을 땐 언제고

지 없으면 콱 죽겠대도 우울해하고 있어…

이제 가자. 슬슬 쪽팔려.

고작 과로 가지고 유난은….

미안해요.

응…?
왜 사과해?

네가 그렇게
걱정했는데도
몸 관리 못 한
내가….

그게 아니라…
그동안 저도
모르게

형을
못 믿은 건 아닌가
싶어서요….

…난 절대
그렇게
생각 안 해.

너는 **나를**
못 믿은 게 아니라
상황을
못 믿은 거야.

그래도요….

…뭐, 그래.

근데
난 오늘은
사과 안 해.

……?

나를 감싸고 있던
익숙하지 않은 불안과

고마워.

상황이 만들어낸
수많은 오류들 속에서

가자,
최이경!

당신은
또 나를 구한다.

헉, 저기
도백운 아니야?

꾹
꾹.

쓰근.

뭐? 어디?

와… 진짜
잘생겼다….

드라마
촬영 왔나?

쓱.

앙아

…꼴사납네.

지잉.

전과는 다르게
이제는 날 우선으로
배려하는 사람들.

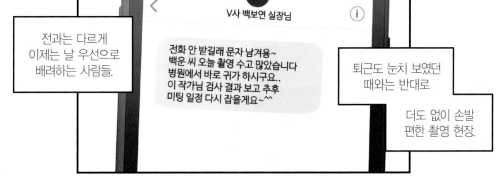

V사 백보연 실장님

전화 안 받길래 문자 남겨용~
백운 씨 오늘 촬영 수고 많았습니다
병원에서 바로 귀가 하시구요..
이 작가님 검사 결과 보고 추후
미팅 일정 다시 잡을게요~^^

퇴근도 눈치 보였던
때와는 반대로

더도 없이 손발
편한 촬영 현장.

바라던 내 위치.

달라진 환경.

119

나만 제지리다.

촬영 인터뷰나
현장 스케치 촬영에
자기 자신을 드러내지 않아서

소문만 무성해진
그 사람은

호탕한 성격

중년 남자래

게이래

와일드한
스타일이라는데

턱수염 있을 걸

이혼했대

혼혈이래

잘 사는 집이래

이미 내 머릿속에선

사오십 대 정도 된
푸근한 인상의
사진 작가였다.

이력으로만 보면
개인 스튜디오를
차리고도 남을 텐데

웬 이름도 안 알려진
크루에 있는 것만
봐도 알 만했다.

자유롭고
와일드한 스타일의
사십 대
이혼남이라니.

이름이랑
좀 안 어울리네.

터벅
터벅

삼촌뻘에게
나 좀 써달라고
빌 생각을 하니 웃겼다.

피식

괜히 옷에
힘 줬나.

하지만 웃기는커녕

숨을 쉬는 것도
잊을 만큼 놀라서
제자리에 굳어 있었다.

…미친,
뭐야?

전혀
다르잖아….

첫인상은 나빴는데
얼굴이 중독적이었다.

작고 하얀 얼굴에
저렇게 큰 고양이 눈이
두 개나 붙어 있는 것도

@#$!&

*!%#^?

화를 낼 때마다
찢어지는 입까지
큰 것도 신기해서
정신없이 쳐다보느라

첫 개인 촬영을
시원하게 말아먹고
욕을 먹고 있는 줄도
몰랐다.

저거 생각보다
더 뻔뻔하네···.

그렇죠, 뭐.

하아···,
이게 뭐지.

둘 다 술에
절여져서···.

난
좋았는데.

···너무
보지 마.

아, 싫어.
치워요.

아, 좀.

그만 좀 쳐다 봐….

…어, 이건 또 의외.

거기까지'였'다.

그와 가까이 지내게 되면서

왜 그렇게 이주빈의 주변 사람들이

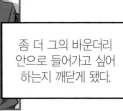

좀 더 그의 바운더리 안으로 들어가고 싶어 하는지 깨닫게 됐다.

가까이에서 본
그는 여유롭지만

일에서 만큼은
단호한 면이 있었고

저 자신도
외로움을 탔지만

그럼에도 상대방에게
진심으로 위로하는
말을 할 줄 알았다.

그야말로 그림으로
그린 듯 완벽한

내 목표.
다른 사람들의 이상.

아하하!! 으악,
속 울렁거려!

은행열매 냄새
진짜 지독하다!!

약간 취했음▶

비틀.

뭐 그래도
예쁘긴 해!

그 자체인 사람.

뭐 해,
백운아!!

......

...와.

중얼

하하⋯.

마음 틈 사이로
빠르게 이주빈이
흘러들어왔다.

사아⋯

⋯⋯.

우린…

뭐냐, 진짜?

…….

움찔.

하지만
거기까지여야 했다.

멈춰야 했다.
난 평생의 목표가
있었으니까.

비릿,

이렇게 팔자 좋게
연애 놀음이나
할 때가 아니었다.

온갖 걸 포기하며
달려온 시간들이 전부
헛수고가 될 수도 있다.

애인은
아니었죠.

…….

쏴아

129

그건
그렇지.

조심하자.
서로.

조심? 뭘?

네.
조심하죠.

그래서 선을 그었는데

멍청하게 그 선에 이주빈도 나도 다쳤다.

솔직히 난 지금도
우리가 뭐 하는 건지
모르겠거든.

이주빈은 날이 갈수록
예민해졌고

그만
만나자.

나는 오히려
무덤덤해졌던 것 같다.

이번에 일주일
걸리려나.

오늘
셔츠 예쁘네.

며칠 뒤.

딩동,

이 시간에
누구….

철컥

2차 돼?

미묘한 만남은
생각보다 오래 지속됐다.

이번엔
딱 8일만이군.

...진상짓은.

그만 만나자고
하는 쪽도 이주빈.

다시 찾아오는 것도
이주빈이었다.

얼마나
마셨어요?

넌 물 세면서
마시냐?

133

솔직히, 편리했다

하지만 이주빈은
갈수록 자주 무너졌다.
특히 여름이 다가올수록.

가장 가까이에 있던
내가 고스란히 산사태를
받는 일도 생겼다.

안 들려?
이거 놔.
필요 없어.

그 모습이
너무 위태로워 보여서
뿌리칠 순 없었지만

...입 다물고
일단 진정부터 해.

앙아.

쌍앙

시즌 촬영으로
스케줄까지
쏟아지다 보니
결국 피로해졌다.

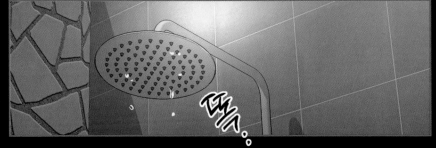

아무렇지 않게 다시
나에게 돌아오면

나 또한 아무렇지 않게
그를 안아주면
될 거라고 생각했다.

별일
있겠어.

귀국 미루길
잘했어.

백운이 너
그 작가랑 작업하고
싶어했잖아.

쇼 끝나자마자
직접 찾아와주실
줄은 몰랐어요.

미팅도
바로 잡고….
기회가 좋았네요.

그러니까!
홀딱 반하신
거지.

나가.

혼자인 게
나아.

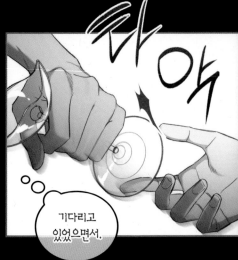

기다리고
있었으면서.

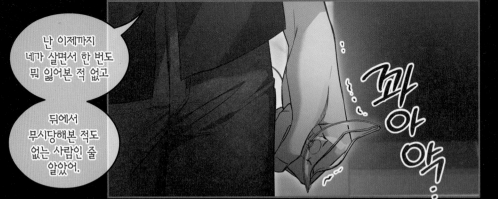

난 이제까지 네가 살면서 한 번도 뭐 잃어본 적 없고

뒤에서 무시당해본 적도 없는 사람인 줄 알았어.

꽈아악!

…그래서 네가 이럴 때마다 진짜 꼴사납고 불쌍해.

아닌 척도 다 겪어봐야 할 수 있는 거 아니겠어?

씨익.

……

…왜 나한테는 그런 일 있었다고 말 안 했어?

내가 그 말을 너한테 왜 하는데.

그러게.

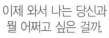

이제 와서 나는 당신과
뭘 어쩌고 싶은 걸까.

이게 지금
뭐 하는 짓일까,
둘 다.

…손 다시 줘 봐.
베인 것 같은데.

백운아.

우리 어줍잖게
연기하지 말고

진짜
다 집어
치우고.

너 정말
단 한 번도

나한테
진심이었던 적
없었어?

……

씨익.

네가 몰랐다면,
어쩔 수 없지.

미안하다.

그냥 잊어.
너 그거
잘하잖아.

왜

...이게
아닌데.

이러려던 게
아닌데.

나를 질책하는 듯한
이주빈의 자조 섞인 말투는
꼭 그렇게 말하는 것 같았다.

보이는 대로 믿고
멋대로 편리를 누린
벌을 받은 거라고.

연락 씹고
안 나올 줄
알았어.

할 말을
호텔에서 한다는
사람이 진짜 있나
궁금해서.

……

그래서
할 말이
뭔데?

……,

……아.

그렇지.

미안.

후후

샤워는
하게 해주지?

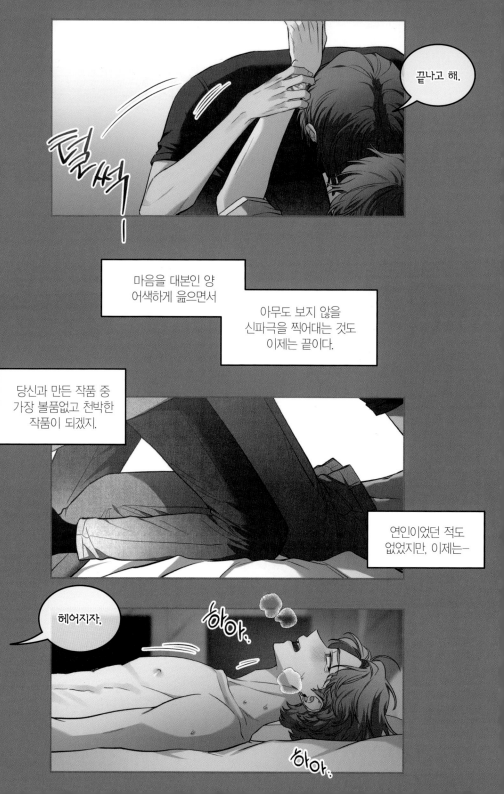

…슬슬
그럴까.

그렇게 우리는

실수한 다음 날
허겁지겁 잠근 셔츠 단추처럼 끝이 났다.

백운아.

너 정말
단 한 번도 나한테
진심이었던 적
없었어?

이주빈과 갈라진
지난 몇 년 동안

그게 무슨 질문이었는지
생각해봤는데

놀랍게도 단 한 번.
딱 한 번
진심인 적이 있었다.

그래. 네 말대로
그냥 잊고 아닌 척
연기했을 뿐이었다.

고작
단 한 번이라서.

단 한 번도
나한테
진심이었던 적
없었어?

…….

네가 모른다면
어쩔 수 없지.

그냥 잊어.
너 그거
잘하잖아.

하지만 그건
질문이 아니었다.

......,

......하,

이주빈은 이미
알고 있었다.

아......,

아아......,

그저 내 입으로
듣고 싶었을 뿐이었다.

그 단 한 번이 정말
진심이 맞았는지.

처음부터

그렇게
단 한 번이었는데.

한 순간도
빠지지 않고
사랑해놓고

고작 한 마디 해주는 게
뭐가 그렇게 힘들다고.

도백운

도백운

백운아.

사실
위로를 받는 쪽도
기다리고 있던 쪽도
나였는데.

미안해….

결국 그 말을 못했다.

백운아.

이름을 부르는
목소리가 유일한
고백 같아서 좋았는데.

그 뒤에 따라오는
미안하다는 말도
질릴 만큼 들었을 때
깨달았더라면

지금 우리는
좀 달랐을까.

그리고 문득

그동안 왜
나만 제자리였는 지
깨달았다.

154

한 발자국 씩
늦은 걸음들이

이제는 뛰어도
닿지 않는 거리를
만들고 있었단 걸

두 발로 뛰고 나서야
비로소 깨달았다.

그렇게
나의 첫 드라마는
관객 한 명 없이

그를 처음 만났던
가을에 막을 내렸다.

으으으~!
집이다~!!

오늘따라
더 오랜만인 것
같네요….

푸,
푹 쉬어…!

...응?
왜?

이제
형도 꼼짝없이
집에서 쉬는 거예요.
집.에.서.만.

◀오늘부터 당분간
강제 휴식기

쉬는 건 좋지만
집에서만
이라니... 끄응...

어..., 어?
좋지 않아요?

......!

꽁오...

꾸잣

뭐야.
나 반백수 된 게
그렇게 좋아?

네에…
너무 좋아요.

얼굴 진짜
속상해….

그래도 흉터는
안 생긴다잖아.

뷰빗

우앙

오랜만에
야식이나 먹을래?
치맥 어때?

맥주는
안 되는거
알죠?

아…,
맞다.

ㅠㅠ

스케치
SKETCH

달칵
달칵

......?

지이잉

…아, 이런.

취소됐구나.

주빈 씨~~^^ 몸은 좀 괜찮아요~?
지난 번 촬영 했던 영상 인터뷰 없이
메일로 받은 인터뷰 내용만 실렸어요
따로 녹화도 없으니까 푹 쉬시고요.
다음 작업도 기대하고 있을게요 ^^

iMessage
ㅂ ㅈ ㄷ ㄱ ㅅ ㅛ ㅕ ㅑ ㅐ ㅔ
ㅁ ㄴ ㅇ ㄹ ㅎ ㅗ ㅓ ㅏ ㅣ

몸이 안 좋아도
약속한 일은 해내야
한다고 생각했는데

오히려 이런 식으로
피해를 주다니….
프로답지 못했다.

환자면서
괜히 무리수
두지 말죠?

아마추어처럼
당일에
앓으려고?

…첫.
틀린 말은
아니었네.

어쨌든
일단락됐나.

으아아아아~
모르겠다!

…나도 빨리
강박에서 벗어나야
하는데.

??

뭐야. 잠옷?

옷 정리는
꼭 하고 나가면서…
급하게 나갔나?

......

아. 최이경
살냄새 난다…

왠지
야릇한데…

하아…

!?…

벌떡

미친…
이주빈
미친놈…!

…윽.

변태임.

무슨
잠옷 가지고…
변태야
뭐야…?!

하지만…
아픈 이후부터
한 번도
못 했잖아…

웃신.

바빠서 자위할
정신도 없었고…
아, 아니.

그냥
섹스를 하면 되니까
자위도 굳이 할 일이
없었지….

우물쩍.

미친듯이 XX하고 싶다….

어우우~.

이렇게 수정하니까 훨씬 예쁘다.

슥슥

감사합니다….

확실히 시야가 확 트였어.

이경이 너 진짜 미술 그만할 거야? 열심히 해놓고 아깝게.

그새 무슨 심경의 변화라도 생겼어? 이렇게 후련하게 해결하다니.

…비밀이에요.

하하

참나…. 너 제출 꼴지다. 얼른 마무리하고 전시장에 걸어.

툭

헉, 넵….

뭐야~
뭐가 비밀인데?

작품 끝내서 살아남 ▲

…으음.

머쓱!

…사실, 교수님이 정답을 맞추셨어.

엥? 뭐야, 진짜~.

빙긋

오늘은 예정보다 일찍 끝났네.

형은 지금쯤 집에서 뭐 하고 있으려나~.

잠깐, 이건…

빠샹ㅡ

언제 와?

언제 오냐구

고양이 키우는 기분…!

혁….

고양이는
외로움을 많이
타다는데

목 빠지게
기다리고 있으면
어떡하지?

형...!

※최이경 상상도

형~
주빈이 형!

오늘은
좀 일찍 왔...,

...!!!

안야

혼자 있어도, 뭐…
괜찮았어…!

두둥 … 지둥.

……

…그렇구나.   안 외로웠구나.

멈칫.

다행이네요…

시무룩.

어… 어라?

핫….

이게 아닌데…?

꼬
요..

큰일 났네…

내가 또
똥강아지의 심기를
거슬렀나…

움찔

쪼옥..

사실은
너무 외로워서
지 잠옷으로 자위할
뻔했다는 말,

…을 재한테
하느니 내가
혀를 깨물지.

날이 갈수록
수치를 느끼게 된
이주빈이었다.

잠깐
물 마시고 올게….
먼저 보고 있어.

……

외로워하는 고양이인 줄 알았는데

휴우우….

미중도 안 니와주는 고양이었구나….

형…!
저 왔어요…!

※현재 상황

그래…
동거가 익숙해져서
그런 걸 수도 있지.

…그래도 조금은
외로워해줬으면
했는데.

역시
연애를 많이 해봐서
이 정도는 괜찮은 건가?
내가 유치한 거겠지…?

오늘따라 유독
나를 피하는 것
같기도 하고…

어?
잠깐만…

그러고 보니 요즘
그런 신호(?)도 전혀
안 보내지 않나?

형이 그럴 리가
없는데? (??)

혹시 몸이 아직 다 안 나은 거라면?

아니… 아냐. 그건 아닌 것 같아.

나름대로 줄곧 참고 있었다. ▶

??

그럼 이유가 뭐지? 전혀 모르겠어…!!

…안 되겠다. 물어보자.

…형.

주빈이 형.

어…? 왜? 먼저 영화 보고 있….

떡.

이제는 혼자 추측하는 게 더 힘들어.

지금 당장 알아야겠어…!

나를 피하는 이유가 대체 뭔지…!!

……?

……

늦게 오길래요.

…!?

손이 왜 이렇게 뜨거워?

아…
모, 목이 타서

물을 좀 많이 마시느라…

한시를 못 떨어져 있나… 가자. 나와봐.

아!···

아파, 인마!

엥..?
갑자기 분위기
왜 이래?!

서, 설마 좀 전에 너무 오버해서

들킨 건가? 섹스하고 싶은 거?!

툭 하면 나한테 맞춰주려고 하니까 맞을 수도 있어!!

가, 가자니까? 영화 안 봐?

아니 왜 이렇게 안 밀려···!

…!!!

힉…

형… 저,

아까부터
물어보고 싶은 게
있는데….

……!

……?

…이경아.

너… 그…

내일 아침
일찍 나가야
하지 않아?

빠질
빠질…

괜히
무리하는 거
아니야?

……

…무리요?

또닥

또닥

그래…!
작품도 열심히
준비하는 것
같던데

나 때문에
밤 늦게까지
안 이래도 된다고.

난 하나도
안 괜찮은데…

버텨…응

왜 혼자
괜찮지.

부빗

이거 봐.
또 피하고
있잖아!

그 긴 공백기동안
나만
간절했던 거야?

진짜?
진짜로…?

이 자식… 계속 거절하니까 짜증 내기는.

아….

하긴, 모처럼 꼬셨는데 계속 거절하니까 민망하겠지.

아, 아냐. 은근 고집 있는 놈이라 민망해하는 것 같진 않은데…

으응!

아아, 몰라. 머리 안 돌아가…

웃….

-!?

욱….

거절할 수 있을 리가 없다….

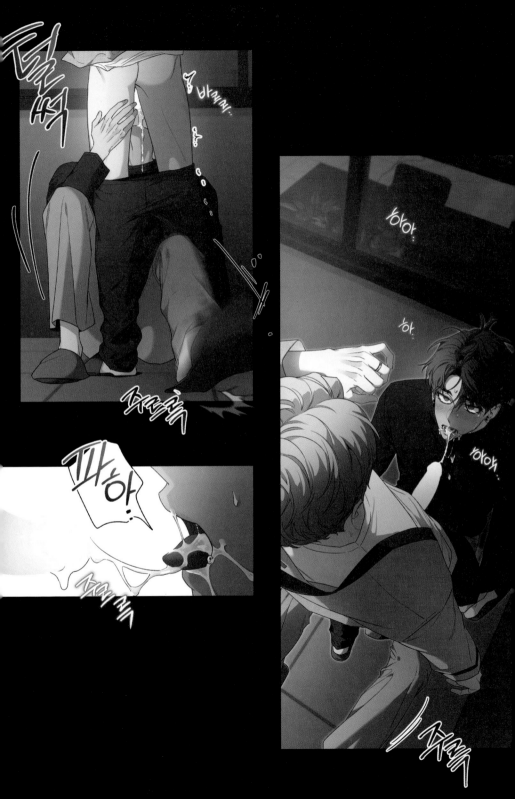

이런 걸로
기분 좋으면
주책이겠죠…?

…!!

……그,

휴, 휴지
가져올게.

아뇨.
괜찮아요.

이… 이경아!!
너 진짜 오늘
끝까지 할 거야?!

흐웃….

잠깐만
멈춰 봐,
잠깐만…!!

이, 일부러
이럴 거 없다니까?!
아….

아, 제발…
좀!

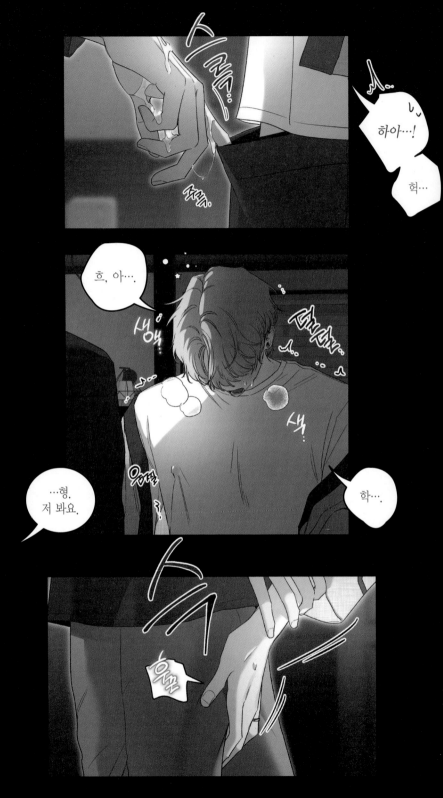

…!

형 눈에는
제가,

형 때문에
일부러 이러는
것처럼 보여요?

…아,

아닌가?

……

……

……

…저는.

형이, 얼른, 낫기만을…

계속, 기다렸, 다고요…

…저도!!! 형이랑 섹스하고 싶어서 이러는 거예요!!

제가!! 하고 싶어서!! 하는 거라고요!!!

억지로 이러는 거 아니에요!!!

진정해…!! 그리고 이 시간에 그런 거 크게 말하지 마…!

뚝

······

진정했다···

···뭐야.
그런 거였구나.

확실히···
시작하면 제가
자제를 못 하긴
하지만요···

아는구나···

그런데요···

형은
제가···,

전 날 밤에
형이랑
섹스한 걸로

지치는 줄
아나 보네요….

……

어어…?

…!

……

형이 더
바보야….

아…!

아흐웃…!

혀, 혀엉…!

그게.

누가 누굴 걱정하는 건지….

…그럼,
해볼까.

둘 다
지칠 때까지.

그리고 이주빈은
기분 타서 홧김에 한 이 말을

뼈저리게 후회하게 된다.

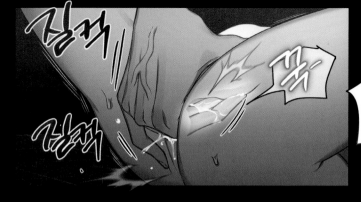

으읏…!

이거…
그만….

허억….

하아….

이경아…
으응….

옷 다
늘어났네.

훗….

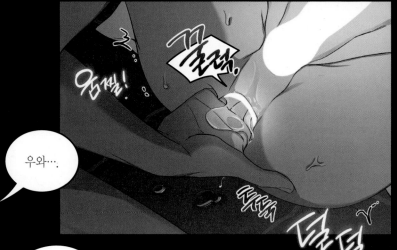

우와…

젤 많이
쓰길 잘 했다.

물 돼서
흘러나오긴 해도
금방 풀리네요….

하아…
넣을게요.

빨리…

빨리…

으, 으으…:

너무
귀여워…

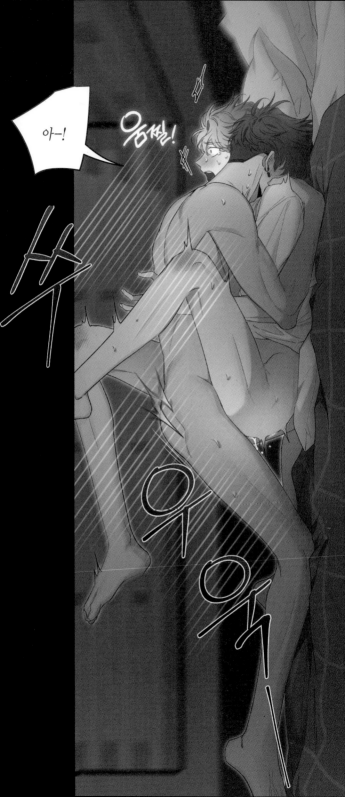

감당 못 할 말을
많이 하네요…

스으…

콱

즈…

감빡

흡…

……

생각보다
아파…

해

쪽

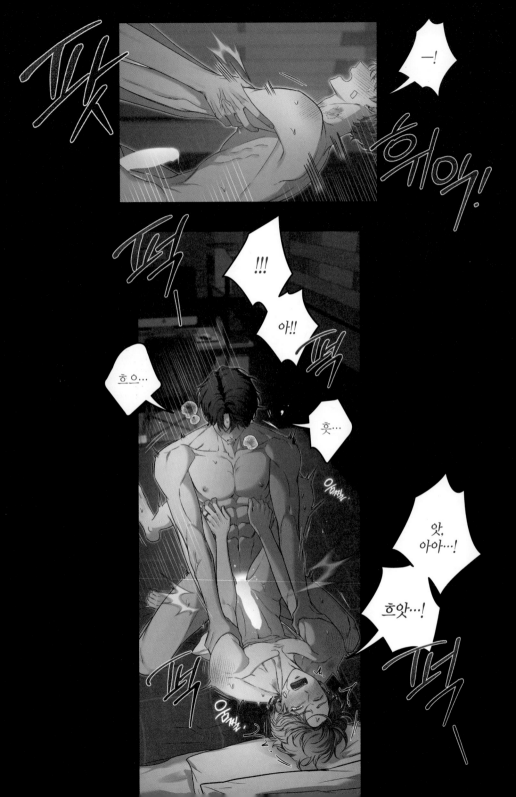

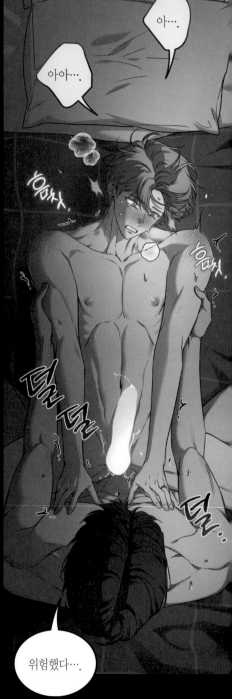

아… 흐…

그, 그냥 안아줘…

불편해, 이거…

……!

어엇…

저는
형이 이렇게
내려다볼 때

왠지 기분이
좋더라고요.

이상하죠,
저….

자, 잠깐만.

잠깐만…!

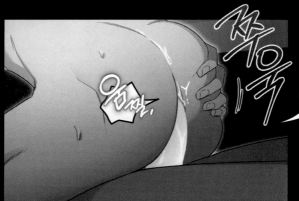

조금만
천천히
해줘…!!

천천히?

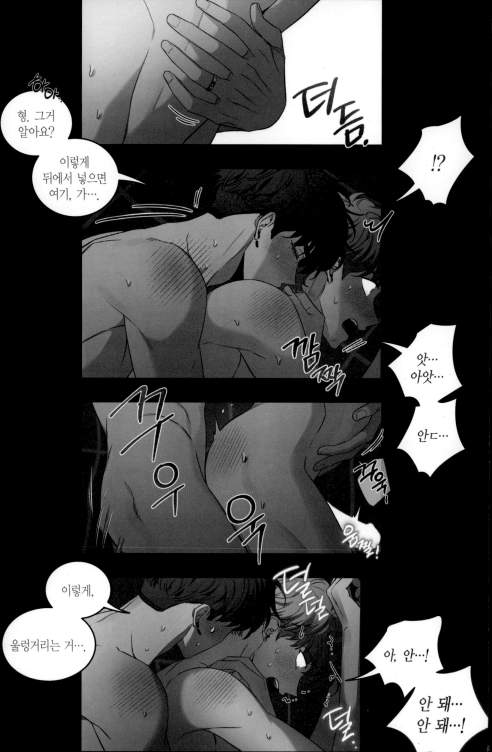

우와….

하아….

이거 좋네.

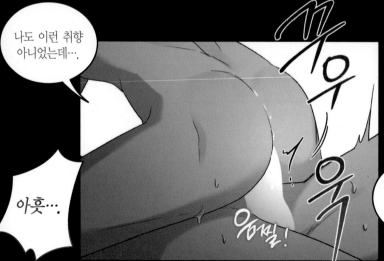

나도 이런 취향
아니었는데….

아훗….

변태도… 흣,
전염인가 봐.

제발, 뭐. 어떻게 해줘?

아, 안고 싶어요….

팔 좀… 놔주세요….

뭣, 뭐…?

이, 이게…

충분히 뿌리칠 수 있으면서…!!

강아지.

강아지! 일어나.

말랑

으, 으…?

강아지…?

일어나. 학교 안 가?

으아아아~ 팔저려겨~

뿌빗

지잉~

아… 가야죠.

…….

빠안

??

시익

…!

신기하네…

왜 점점
더 좋지?

……!

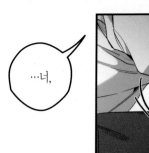

벌떡.

......?

슥

어, 어어...

어디 가요...?

화장실.

일어난 김에
양치질 좀 하게.

왜?

짝.

멍...

...아,

아무것도...

아…, 이거

가, 가라앉히려고….

그런다고 그게 가라앉아? ㅋㅋㅋ

벌려야 빨지.

…?

더 벌려.

나 때문인가?
어제 내가 덮쳐서(?)
바꿀 시간이…

몸 뒤로 기대.
편하게.

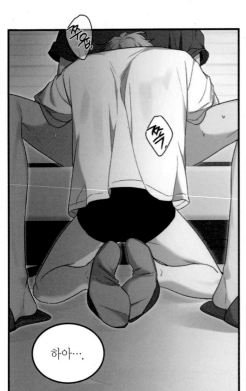

하아….

응.

웅…;
기분은 좋은데

얼굴이
안 보여…

응.

윽.

오늘은 몇 시에 와?

……

피드백만 받고 바로 올 거예요.

점심 같이 먹어요.

멈칫

어제… 저, 집에 들어왔을 때요.

…?

응.

형이, 제가 없어도 안 외롭다고, 혼자 있어도 괜찮았다고 했었잖아요.

움찔.

…그, 그으

그랬지…?

야아~ 애들아!!

뭘 그렇게 급하게 가?

같이 좀 가자!

따 다 다

다

급하니까 급하게 가지…

얘 오늘 상태 진짜 안 좋아.

이러는 거 처음 본다.

땅⋯

그으래…?

몸살났냐? 곧 졸전이라 그래?

…….

애들아.

괜히 긴장

응?

......

최이경!

너 진짜
미술 안 해?

교수님이 자꾸
물어보셔.

난 네가 어디서
뭘 해도 알아서
잘 할 거라 생각해서
어물쩍 대답 넘기긴
했지만.

애초… 에
내가 대답할 수 있는
일도 아니고.

머엇,

무, 물론!

지금 모델 일 잘 하고 있는데 갑자기 굶어 죽는 길로 오라는 소리는 아니고.

야아. 굶어 죽기는.

꼼지락.

......?

솔지 저런 말 잘 안 하는데... 할 말이 있는 건가..?

크흠~! 너 걱정 되니까,

힘들면 언제든 말해달란 소리야. 너 힘들단 말 안 하잖아!

다―알아서 하니까.

움찔.

어..., 맞아.

하여튼 낮 간지러운 말 잘하게 생겨서 차암 못해?

간섭 같을까 봐 그러지…!

!

아. 이건….

그러니까 너도 미술을 했겠지.

네가 좋은 사람이라서 좋은 친구들이 주변에 있는 거야.

이제는 느낄 수 있는 **다정함**이다.

….응. 고맙다!

꼭 말할게.

성주.

어땠어요?

그래!
외로웠다!!

외로웠어!!
말라 죽을
뻔했어!!

흐헤헤…

형 은근
쑥쓰러움
많이 타는 거
알아요?

귀여워…

넌 갈수록
뻔뻔한 면이 있고!

우리한텐 뭐,
나름 인연이 깊은
곳이잖아?

괜히
싱숭생숭하네.
하하.

......!

그렇네.

어느 새 형과 만난 시간이
형을 혼자 좋아하던 시간보다
훨씬 길어져서

깜빡 잊고 있었다.

그 때 내가 술김에
밖을 나가지 않았더라면

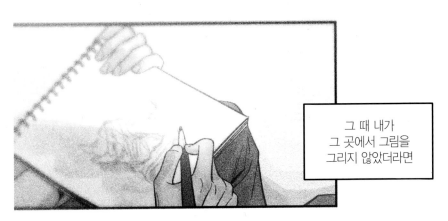

그 때 내가
그 곳에서 그림을
그리지 않았더라면

그 때 내가
모델 알바를 시작하지
않았더라면

그 때 내가, 그곳에 가지 않았더라면.

우리가 지금 이렇게 같은 집에서

마주 앉아 밥을 먹을 일도 없었겠지.

막상 작업실에는 오래 머물지는 않았지만, 기억에 남는 곳이다.

형한테도 소중한 곳이구나…

우리 사이도, 내 졸업 작품도.

결국 그 작업실에서 시작하고 마무리할 수 있었으니까.

……

말이
데이트지,

이건 그냥
짐 정리잖아!

어차피 했어야
하는 건데요, 뭘.

그리고 저도
형 작업실,

둘 다 시간
있을 때 편하게
와보고 싶었어요.

저한테도 의미가
큰 곳이기도 하고…

짐 정리 겸 이렇게
형 작업물도 더 많이
볼 수 있고요.

그렇게 말하면
나도
어쩔 수 없지만…

315

이런 거 보면 느껴져.

넌 가끔 나를 유치원 다니는 아들 대하듯 한다니까?

…으음.

그렇지도 않아요.

펑야.

다정까진 아니고 그냥, 뭐. 평범….

어라?

형이 먼저 이런 이야기 꺼내는 건 처음인데?

…저기, 형—

ㅅ미ㅅ

으슬쓸

웃….

…?

319

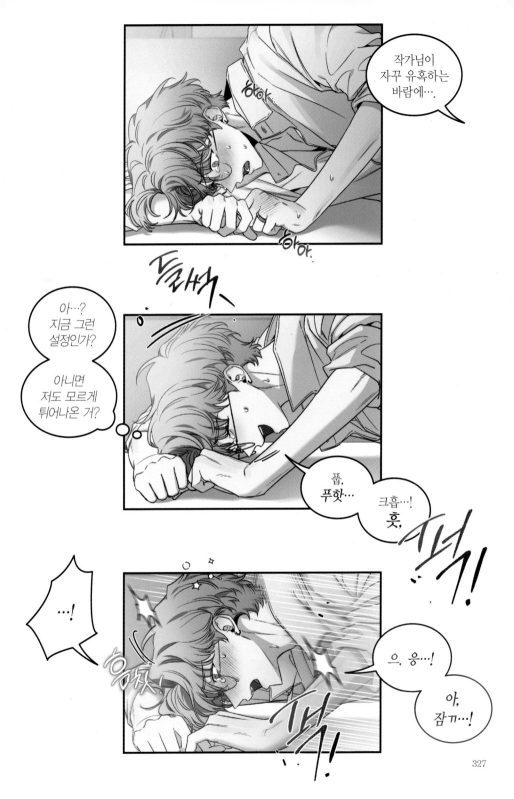

327

하아…

하아…

다른 사람이랑
바람이라도 피운 것
같은 이 기분은
뭐냐고…!

분명
둘 다 형인데!!

ㅠ.ㅠ..

난 몰라…
이건 죽어도
말 못 해.

여보세요?

…예?
뭐라고요?!

스케치 시즌2 SYMPATHY 3

2024년 4월 22일 1판 1쇄 발행
2024년 4월 29일 1판 1쇄 발행

글·그림 도삭

발행인 황민호
콘텐츠4사업본부장 박정훈
책임편집 이예린 | **편집기획** 강경양 김사라
디자인 All design group 중앙아트그라픽스
마케팅 조안나 이유진 이나경 | **국제판권** 이주은 한진아 | **제작** 최택순 성시원 진용범
발행처 대원씨아이(주) | **주소** 서울특별시 용산구 한강로 3가 40-456
전화 (02)2071-2018 | **팩스** (02)749-2105 | **등록** 제3-563호 | **등록일자** 1992년 5월 11일
www.dwci.co.kr

ISBN 979-11-7245-003-8 (07810)
ISBN 979-11-7203-549-5 (세트)